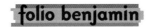 

Traduction d'Anne Krief

ISBN : 978-2-07-061072-3
Titre original : *Can't Catch Me!*
Publié par Andersen Press Ltd, Londres
© Michael Foreman 2005, pour le texte et les illustrations
© Gallimard Jeunesse 2005, pour la traduction française,
2007, pour la présente édition

Numéro d'édition : 147422
Loi n° 49-956 du 16 juillet 1949
sur les publications destinées à la jeunesse
Dépôt légal : mai 2007
Imprimé en Italie par Editoriale Lloyd
Maquette : Barbara Kekus

Michael Foreman

Tu ne peux pas m'attraper !

GALLIMARD JEUNESSE

– Bonne nuit, Petit Singe, dit Maman.
Fais de beaux rêves.
– Non, il est trop tôt pour dormir,
répondit Petit Singe…

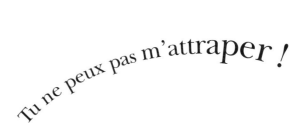

Tu ne peux pas m'attraper !

GRRRRR !

ROARRRR!

Nous allons t'attraper et te…

Vous ne pouvez pas
m'attraper !

GRRRRRr !

GARRRROUUUU !

Nous allons t'attraper et te...

Vous ne pouvez pas m'attraper !

HRRRRUMF !

HARRROUUUU !

Nous allons t'attraper et te...

OUALLUMF, OUALLUMF,
OUALLUMF,
OUALLOUUUU !

Nous allons t'attraper et te…

Vous ne pouvez pas m'attraper !

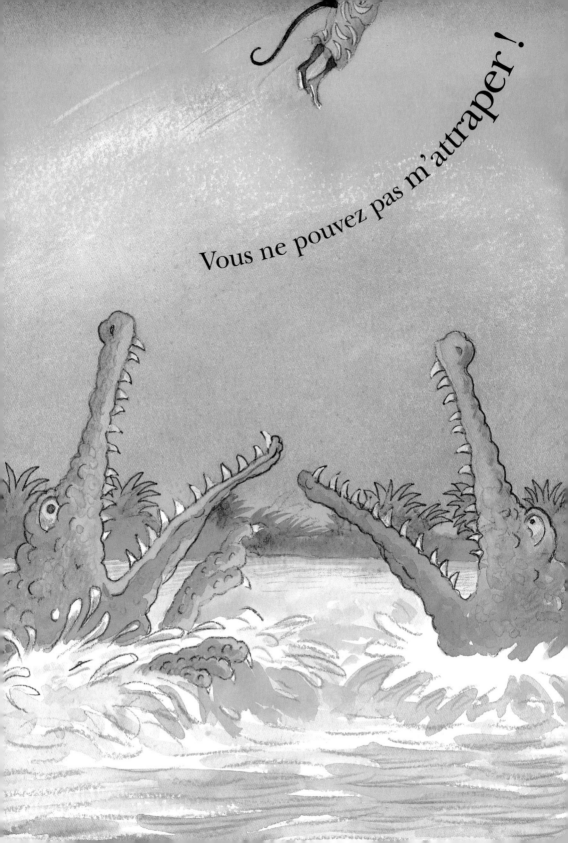

Vous ne pouvez pas m'attraper !

Vous ne pouvez pas m'attraper !

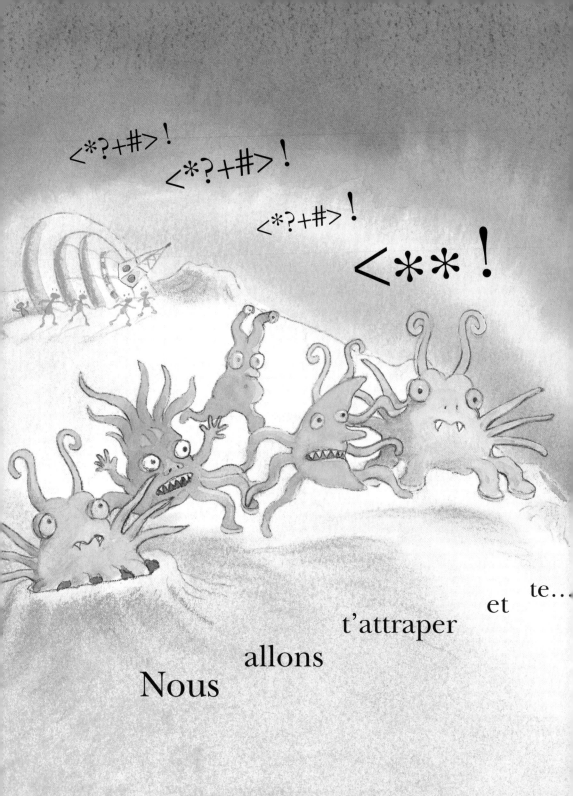

Vous ne pouvez pas m'attra...

. . . peeeeeeer!

YOUHOU ! YOUHOU !

Nous allons t'attraper et te...

… CHATOUILLER !!!

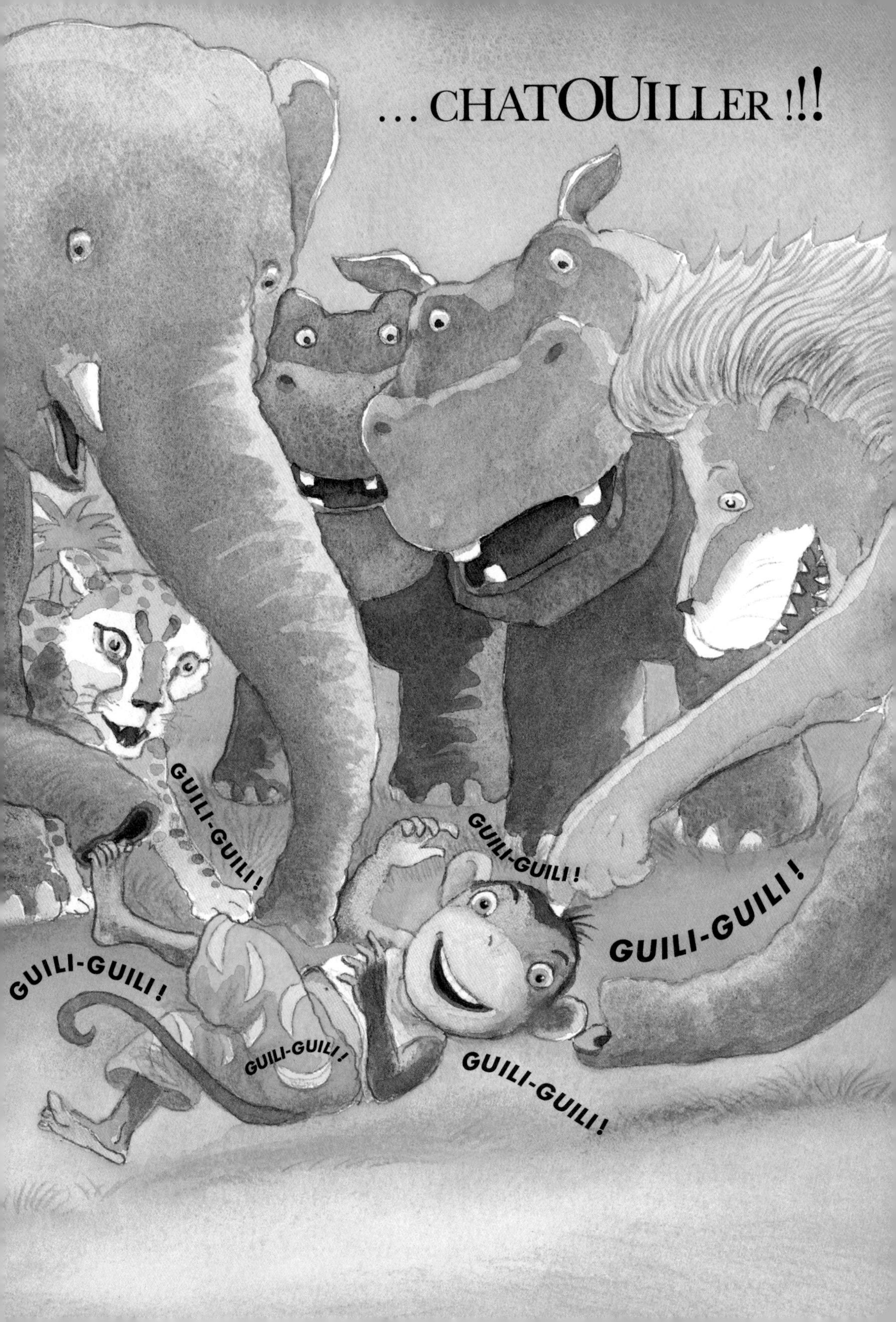

GUILI-GUILI !
GUILI-GUILI !
GUILI-GUILI !
Hi,
hi,
hi...
GUILI-GUILI !
GUILI-GUILI !
GUILI-GUILI !

VOUS NE POUVEZ PAS...

– Allez, viens, Petit Singe,
au lit maintenant…

Bonne nuit, dors bien.
Fais de beaux rêves.

Fin